Un éléphant pour mes 7 ans

Tu lis, je lis

MES PREMIERS ROMANS À LIRE À DEUX

Cette histoire a été écrite pour être accessible dès la fin du premier trimestre de CP :

- le **texte est court**,
- il est conçu pour être **lu à deux** : un lecteur confirmé lit l'histoire mais les **dialogues** peuvent être lus par l'**apprenti lecteur**,
- il a été **testé par un professeur des écoles** afin d'éviter les difficultés de lecture,
- les mots difficiles sont **expliqués sur le rabat.**

Enfin, cette histoire a été imaginée pour **passionner, émouvoir, faire rire** et **rêver** son lecteur, parce que **quand on aime lire, c'est pour toute la vie !**

L'éditeur remercie Christophe Dupuy, professeur des écoles.
Pour Anna, cette histoire écrite en pensant à elle.

Septième édition

18 rue Barbès, 92128 Montrouge Cedex
ISBN 978-2-7470-5198-9
Dépôt légal : juin 2014
Loi n° 49-956 du 16 juillet 1949 sur les publications destinées à la jeunesse.

Achevé d'imprimer en janvier 2018 par Pollina
85400 LUÇON - N° Impression : 83038B
Imprimé en France

Un éléphant pour mes 7 ans

écrit par Florence Cadier
illustré par Ronan Badel

bayard jeunesse

Aujourd'hui, samedi, Anna et ses parents sont allés au zoo. Ils ont vu des girafes, des lions, des singes et des crocodiles. Mais ce sont les éléphants qu'Anna préfère :

– J'aimerais bien en avoir un pour mes 7 ans.

Sa maman sourit, son papa aussi.

– C'est une bonne idée.
Ce serait un beau cadeau.

Anna n’en revient pas.
Ses parents ont accepté sans discuter.

– C’est vrai ?
Vous êtes vraiment d’accord ?

Ses parents lui promettent. Anna saute de joie :

 **– Hourra ! Quel cadeau génial !**

Le soir, dans son lit, Anna imagine ce qu'elle fera avec son éléphant.

**– Je monterai sur son dos,
et j'irai me balader dans la forêt !**

L'été, quand il fera chaud, il l'arrosera avec sa trompe.

– C'est plus drôle que la douche !

Le dimanche matin, au petit-déjeuner,
Anna sait déjà où installer son éléphant.

– Maman, il pourra dormir dans la cabane du jardin !

Sa maman a une solution plus simple.

– Et pourquoi pas dans ta chambre ?

Anna est surprise. Sa mère ne se rend pas compte : sa chambre est trop petite pour un éléphant.

– Alors, il faut que ce soit un tout petit éléphant, un bébé.

Mais son père ne semble pas d'accord :

– Pas trop minuscule non plus !
7 ans est un âge important.
Tu mérites un beau et gros cadeau !

Pendant la journée, Anna ne cesse pas de penser à son éléphant.

– Papa, comment on fera pour partir en vacances avec lui ?

Son papa ne manque pas d'idées :

– Facile ! Sur le toit de la voiture !

Anna a peur que ce ne soit pas confortable pour son éléphant.

– Il pourrait tomber !

À présent, Anna est un peu inquiète :

– Maman, l'éléphant, ce n'est peut-être pas une si bonne idée!

Sa mère la réconforte :

– Mais si, ma chérie. Et je suis sûre que tu vas beaucoup t'amuser avec lui.

Son père lui explique :

**– De toute façon, on ne peut plus reculer.
On l'a déjà commandé.
Tu aurais préféré un lion ?
ou un crocodile ?**

Cette fois-ci, Anna est sûre.
Ses parents ont perdu la tête*.

– J’aurais dû demander un oiseau. Ou une souris. C’est plus simple.

Le lundi, à la récréation, Anna se confie à Mila, sa meilleure amie.

– Samedi, pour ma fête, je vais avoir un éléphant !

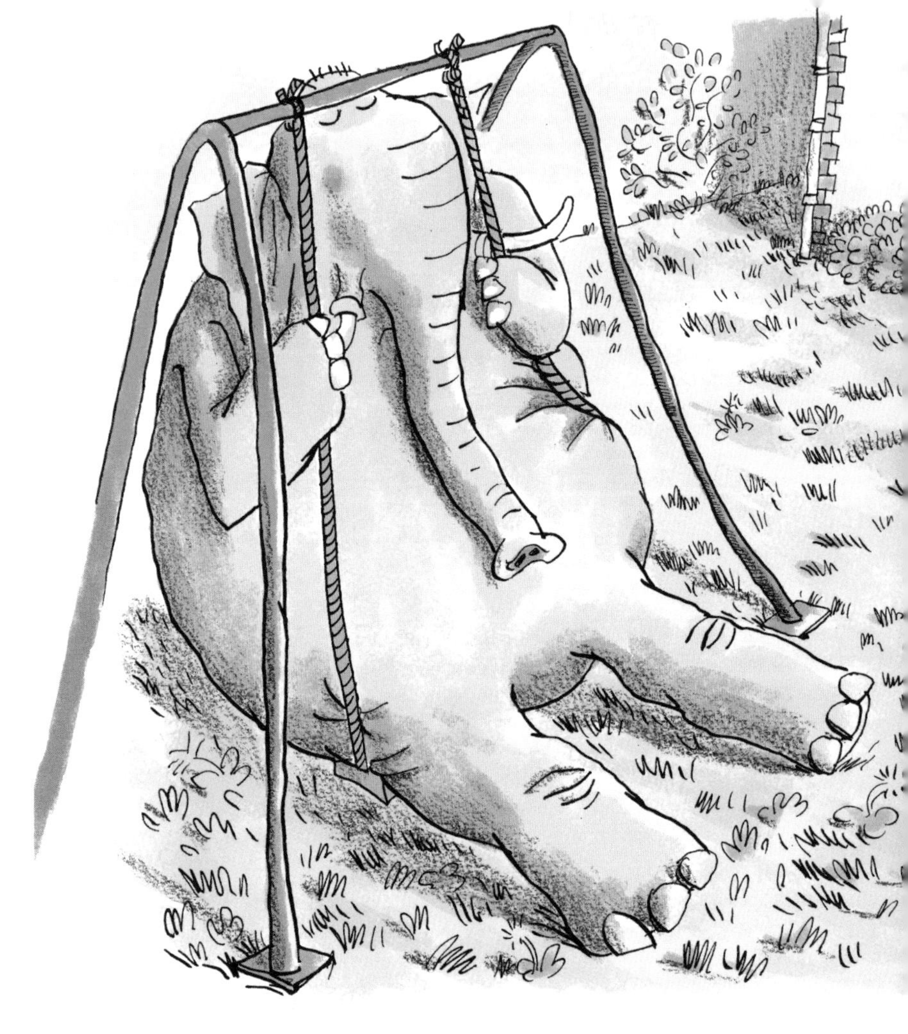

Tout d'abord, Mila ne la croit pas. Mais Anna lui jure que c'est la vérité. Son amie est stupéfaite :

– Il n'aura pas assez de place dans ton jardin !

Anna est mal à l'aise car Mila n'a pas tort :

– Et la nourriture ? Un éléphant, ça mange des kilos d'herbe. Et les crottes ? Elles sont énormes. Comment tu vas faire ?

Anna est très contrariée. Ses parents auraient dû penser à tout ça.

– Mes parents ne sont pas raisonnables*, quand même !

Le samedi, jour de son anniversaire, Anna est tout excitée. En même temps, il faut avouer qu'elle est un peu paniquée :

– Même si c'est un bébé, il va grandir, grandir, grandir...

Ses amis arrivent les uns après les autres, avec des cadeaux. Et voilà Mila.

– Alors ! Tu l'as vu ?

Anna secoue la tête.

Puis, au moment du goûter, une camionnette se gare devant le portail. Anna a le cœur qui bat fort.

– Oh là là ! Je crois que c'est lui !

Les portières s'ouvrent. Le livreur sort un éléphant géant. Il le pose sur un chariot à roulettes.
Anna est bouche bée*. Puis elle éclate de rire.

– Mais… c'est une peluche !
Elle est énorme !

Tous ses amis se précipitent sur l'éléphant, en hurlant de joie. Anna lance un clin d'œil à Mila :

– C'est mon plus beau cadeau du monde ! Et pour mes 8 ans, je demanderai un... dinosaure. C'est une bonne idée, non ?

DANS LA MÊME COLLECTION

MES PREMIERS ROMANS À LIRE À DEUX